SOMMAIRE

Affaire 2

La pomme à retardement 6 — 3
La pomme à retardement 7 — 25
La pomme à retardement 8 — 47
La pomme à retardement 9 — 69
La pomme à retardement 10 — 91
La pomme à retardement 11 — 113
La pomme à retardement 12 — 135
La pomme à retardement 13 — 157

CRIME/HEH 3

DARK
kana

TAC

YÛSUKE KASAI, JE NE MANQUE JAMAIS UN ÉPISODE DE VOTRE FEUILLETON !!!

...

MAIS ENFIN, EIKI ! QUELLE FAMILIARITÉ !!

ET TOI, TU ES ?

MAIS QU'Y A-T-IL POUR QUE SAWAKI SOIT VENU LUI AUSSI ?

crat

EH ! OH ! APRÈS TU OSES PARLER DE MA FAMILIARITÉ ?

ET PUIS METTRE UN PETIT CŒUR AUSSI.

SI VOUS POUVIEZ ÉCRIRE EN BAS "À MON CHER YÛSUKE"

IL FAUT RECONNAÎTRE QUE C'EST ENCORE PLUS IMPRESSION- NANT EN VRAI...

N'EST-CE PAS, RYÔKO ?

DÉJÀ DU TEMPS DU CLUB DE THÉÂTRE DE L'UNIVERSITÉ, TU AVAIS PRIS LE PARTI DE MISER PLUS SUR TON JEU QUE SUR TON PHYSIQUE MAIS...

C'EST POUR ÇA QUE NOUS SOMMES VENUS.

IL Y AVAIT BIEN LONGTEMPS QUE NOUS N'AVIONS PAS VU LA STAR HIMIKO NATSUME À L'ŒUVRE...

MAIS ALORS, LA RUMEUR SUR VOUS DEUX...

OUI, TOUT À FAIT.

ON CROIRAIT PRES- QUE...

NON, ÇA N'A RIEN À VOIR.

OUI...

CE QUI EST ARRIVÉ AU PROFESSEUR WAKABAYASHI...

LOGE

HIMIKO NATSUME

JE N'ARRIVE TOUJOURS PAS À RÉALISER...

MÊME APRÈS AVOIR PRIS SA RETRAITE, LE PROFESSEUR RESTAIT POUR LES ÉTUDIANTS EN PSYCHOLOGIE QUE NOUS ÉTIONS, UN PERSONNAGE CHARISMATIQUE.

...

...

C'EST PARCE QUE LE PROFESSEUR WAKABAYASHI ENSEIGNAIT LA PSYCHOLOGIE À L'UNIVERSITÉ DE TOKYO QUE J'AVAIS CHOISI D'EN FAIRE MA SPÉCIALITÉ...

OUI...

FLASH

FLASH

J'Y VAIS !!!

EIJI, C VA PEL ÊTRE METTR NON

OUAIS.

BON, PAR QUOI JE COMMENCE ?

MAIS !? QU'EST-CE QUE...?!

FLASH

!?

FLASH

FLASH

FLASH

FLASH

FLASH

FLASH

ALLEZ...

FLA

CLAC

J'AI UN EMPLOI DU TEMPS TRÈS CHARGÉ.

JE SUIS DÉSOLÉE MAIS JE VAIS VOUS DEMANDER DE ME LAISSER...

...

BON, BEN, À BIENTÔT, HIMIKO !

HOP ! PAR ICI...

AH ! PARDONNE-NOUS, ON TE LAISSE !

FAMILY ZEAMI RESTAURANT

ZEAMI FAMILY RESTAURANT

C'ÉTAIT SÛREMENT UNE SCÈNE OÙ ELLE DEVAIT SE CHANGER !!

NON, PAS DU TOUT...!!

REGARD TROUBLÉ

MAIS C'EST DE TA FAUTE AUSSI : TU VOIS TOUJOURS DES TRUCS "BIZARRES" AVEC TA PSYCHO-MÉTRIE !

DIS DONC, C'ÉTAIT CHAUD...

EH BIEN...

QU'EST-CE QUE TU AS PU VOIR FINALEMENT ?

BAM tac

C'EST VRAI QUE TU AS RENCONTRÉ HIMIKO NATSUME !?

EH ! EIJIIII !!!

TAP

IL N'Y A PAS DE RAISON POUR QUE...

TAP

TAP TAP

...

ELLE EST BONNE ?

ALORS ?

tic

EUH, OUAIS...

ÇA, OLI...

HEIN, YÛSUKE ?

Y'A PAS À DIRE, LES ACTRICES, C'EST AUTRE CHOSE !

DES JAMBES ET DES HANCHES TOUTES FINES, ET UNE POITRINE COMME ÇA !

TU VEUX DIRE "MÉGA BONNE !!

OOOH...

OOOH...

flap flap flap flap

SE CACHE UN PETIT OBSÉDÉ !

"ÇA OLI"...? MAIS DIS-MOI, SOUS CE REGARD SÉRIEUX...

TIENS, AU FAIT, J'AI UN TRUC À VOUS MONTRER.

...

ZOOM

J'AI ENVIE DE TOUCHER DES SEINS !

CE N'EST PAS CE QUE VOUS CROYEZ ! UNE DE MES AMIES EST LÀ !

EH ! VOUS ! L'ACCÈS EST INTERDIT À TOUS LES MEMBRES DE LA PRESSE !

ON PEUT DIRE QUE J'AI BIEN FAIT DE VENIR ! C'EST TOI QUI ES CHARGÉE DE CETTE AFFAIRE ?

HOTEI !?

BONJOUR ! JE M'APPELLE HOTEI, DU JOURNAL "MAI-ASA" ! *

QUI C'EST, CE GRAND DADAIS ?

*MAI-ASA : (PRONONCEZ MAÏ ASSA) "TOUS LES MATINS" EN JAPONAIS.

C'EST AUSSI L'UN DE MES ANCIENS CAMARADES D'UNIVERSITÉ.

...

EH ! OH !

TU ESPÈRES PEUT-ÊTRE ÊTRE PRIS DANS LE PROCHAIN...

ALLEZ ! VIREZ-LE !

AH, NON ...

catch

MAIS !?

ALORS ? UN COMMENTAIRE SUR CETTE VAGUE D'ATTENTATS ...?

FENDO

ÉCOUTE, D'APRÈS LA POLICE, L'ATTENTAT D'AUJOURD'HUI...

SERAIT L'ŒUVRE D'UN GROUPE ANTIGOUVERNEMENTAL, N'EST-CE PAS ?

EN FAIT, MOI AUSSI JE SUIS PASSÉ PAR LÀ QUAND J'ÉTAIS ÉTUDIANT...

JE SUIS DONC ALLÉ TRAÎNER UN PEU DANS LES BARS OÙ SE RENDENT CE GENRE D'INDIVIDUS.

IZAKAYA

HEIN !?

ET SI JE TE PROPOSE UN ÉCHANGE D'INFORMATIONS QU'EN PENSES TU ?

*UN IZAKAYA EST UNE SORTE DE PUB JAPONAIS DANS LEQUEL ON VIENT ENTRE AMIS POUR SE DÉTENDRE EN BUVANT
ET EN GRIGNOTANT DIVERS PETITS PLATS AUTOUR D'UNE TABLE. COMPARABLE AU BAR À TAPAS HISPANIQUE.

BANG ! BOUM ! TU VAS VOIR !

NE PREND DES MESURES POLITIQUES QUE POUR LES GRANDES ENTREPRISES !

TU COMPRENDS ? LE GOUVERNEMENT ACTUEL...

CREVETTES FRITES

C'ES ALO QU

DE L'ARGENT ? DANS MOINS D'UNE SEMAINE, J'EN AURAI PLEIN LES POCHES !

JE SUIS UN DE CEUX QU'IL A CHOISIS POUR COMBATTRE ! UN GUERRIER !

ENCORE CETTE HISTOIRE-LÀ...

TU NE COMPRENDS PAS !!

EN PLUS, TON ARDOISE S'ALLONGE ICI...

LE JAPON NE CHANGERA PAS !!

SI ON JETTE NO AU NO FORC DANS BATAI POUR COMP NE.

...

QUAND ON VOUS REGARDE COMME ÇA, VOUS ÊTES DIAMÉTRALEMENT OPPOSÉS.

HUM...

IL A L'AIR SÉRIEUX COMME ÇA MAIS IL EST TOUT AUTANT OBSÉDÉ QUE MOI.

COUIC

AH BON ?

C'EST "OMBRE".

OÙ TU VOIS UN OBSÉDÉ ?!

QU'EST-CE QUE TU DIS ?

TIC TIC

BOUCLETTE

IL SIGNE PART OMBRE LI EST ACHÉE EN ACLIN DE OUS.

C'EST UN MOT VULGARISÉ PAR LE PSYCHOLOGUE JUNG.

DU VOCABULAIRE DE PSYCHOLOGIE.

C'EST QUOI, ÇA ?

?

LERA IN GTÈRE IGENT CIEUX.

PAR EXEMPLE, YÛSUKE EST PEUT-ÊTRE SÉRIEUX ET CONSCIENCIEUX EN APPARENCE MAIS SON CÔTÉ SOMBRE...

LA PARTIE CACHÉE NOUS SUIT COMME UNE OMBRE LORSQUE L'ON MARCHE.

EH OUI ! L'HOMME A DEUX CARACTÈRES QUI S'OPPOSENT : UN VISIBLE ET UN CACHÉ.

LERA QU'UN BE SIBLE ET GILE...

ET À L'INVERSE, L'OMBRE DU "SAUVAGE" EIJI...

CONNAIS-SANCES QU'IL A PROFIT HABILEMENT POUR DÉVELOPPER UN CERTAIN CHARISME...

ET PRENDRE LA TÊTE DU GROUPE.

ET DANS UNE CERTAINE MESURE, UN PEU COMME NOUS, A DE BONNES CONNAIS-SANCES EN PSYCHOLOGIE.

LEUR CHEF, APPLE, A FAIT DES ÉTUDES POUSSÉES...

flap

IL SE VANTAIT D'AVOIR ÉTÉ CHOISI PAR QUELQU'UN ET D'ÊTRE UN GUERRIER...

CE SERAIT L'HOMME "MUSCLÉ" DU GROUPE...

ÉTAIT ALLÉ DANS UN PETIT BAR ET S'ÉTAIT MONTRÉ UN PEU TROP BAVARD...

J'AI APPRIS QUE QUEL-QU'UN DONT ON PEUT PENSER QU'IL APPAR-TIENT À CE GROUPE

MAIS, SHIMA, COMMENT VOUS EN ÊTES ARRIVÉE À CES CONCLU-SIONS ?!

GÉNIAL ALORS C'EST ÇA, UN PROFIL !!!

OUI.

UN GUER-RIER ?

À PAR DU FA QU'IL AVAI ÉTÉ CHOI PAR "QUEL QU'U ...

J'AI COMPRIS QUE, LUI INCLUS, C'ÉTAIT UN GROUPE D'AU MOINS 3 PERSON-NES.

ÉVIDEM-MENT...

DIT COMME ÇA, JE COM-PRENDS...

CE QUI SOUS-ENTEND QU'ILS ÉTAIENT AU MOINS TROIS. LA NUANCE EST MINCE MAIS ELLE EXISTE.

IL AURAIT PLUTÔT DIT : "JE SUIS L'UN DE CEUX QU'IL A CHOISIS"...

...

ÉGALEMENT LE FAIT QU NE COMP PAS PLUS DE 10 PERSONN EN SON SEIN.

AH, BON ? POUR-QUOI ÇA ?

HUM
...

QUELLE SERAIT TA VERSION, AKIRA ?

TU ES INCROYABLE ! TU AURAIS DÛ TOI AUSSI RESTER À L'UNIVERSITÉ.

SA PHRASE, "UN DE CEUX QU'IL A CHOISIS", NOUS PERMET DE PENSER QU'IL A EU UN CONTACT DIRECT AVEC LE CHEF À CE MOMENT-LÀ...

À PARTIR DU FAIT QU'IL NE TIENNE PAS SA LANGUE...

BOA BIME

VENDUS GRILLÉS

HUÎTRES CUITES

SALADE

SUSHI

SASHIMI

POISSON

RIZ

POULPE

CRABE

POMMES DE TERRE FRITES

CHOSE QUE L'ON ENVISAGE DIFFICILEMENT DANS UN GROUPE DE PLUS DE 10 PERSONNES.

ON IMAGINE DIFFICILEMENT OCCUPER UN POSTE À RESPONSABILITÉS DANS LE GROUPE.

XACTEMENT.

tac tac

PAR CONSÉQUENT, IL EST TRÈS PROBABLE QU'IL FASSE UN TRAVAIL DE MANUTENTION DANS UN ENDROIT PRIVÉ DE SOLEIL.

D'APRÈS LA DESCRIPTION QUE J'AI EUE DE CET HOMME DANS LE BAR, IL EST ASSEZ MUSCLÉ ET A LE TEINT BLAFARD...

ÇA...

COMMENT FAITES-VOUS POUR SAVOIR AUSSI CE QU'ILS FONT DANS LE GROUPE ?

MAIS...

ET QU'IL N'A PAS UN NIVEAU SCOLAIRE TRÈS ÉLEVÉ.

BANG ! BOUM ! TU VAS VOIR !

PLEIN LES POCHES !

LE VOCABULAIRE QU'IL EMPLOYAIT LAISSE PENSER QU'IL VIENT D'UN MILIEU SOCIAL TRÈS MOYEN.

ENSUITE, LORSQU'IL ÉTAIT DANS LE BAR ET QU'IL PARLAIT...

MAIS C'EST L'APPEL DE L'ALERTE À LA BOMBE ?!

DANS MOINS D'UNE HEURE, NOUS FERONS EXPLOSER LA BIBLIOTHÈQUE DU QUARTIER "S" !!

ENCORE UNE FOIS... NOUS SOMMES "LA....

D... PL...

NOUS SOMMES "LA POMME À RETARDE- MENT"!!

SUU

ÉCOUTEZ ÇA.

ALORS, YÛSUKE ? QU'EN PENSES- TU ?

HEIN ?! MOI ?!

L'APPEL A ÉTÉ ENREGISTRÉ AUJOUR- D'HUI À LA PRÉFECTURE DE POLICE.

OUI.

C'EST L'ORIGINAL ?!

WAAA!

BRAVO. TRÈS BRILLANT.

ET PUIS SA MANIÈRE DE PARLER EST SACCADÉE. IL EST CRISPÉ...

J'AI L'IMPRESSION QU'ON LUI FAIT LIRE CE QU'IL DIT.

EN PLUS IL RÉPÈTE DEUX FOIS LA MÊME CHOSE...

L'EXPLOSIF UTILISÉ DANS LES ATTENTATS EST CELUI QUI A ÉTÉ VOLÉ AU DÉPÔT DE DYNAMITE.

LE GROUPE DE TERRO- RISTES AVAIT ALORS TUÉ LES GARDIENS AVEC DES ARMES À FEU.

VRAIMENT ?!

PFF... FRIMEUR...

MAIS OUI, BIEN SÛR !

PAR EXEMPLE QUELQU'UN QUI AURAIT ÉTÉ DANS L'ARMÉE OU DANS LA POLICE.

CE QUI NOUS PERMET DE DÉDUIRE QU'AU MOINS UN DES MEMBRES DU GROUPE EST HABITUÉ À MANIER LES ARMES.

TOUS SONT MORTS SUR LE COUP, D'UNE SEULE ET UNIQUE BALLE.

BONNE RÉPONSE.

CE COUP DE TÉLÉPHONE A UN TON TRÈS MILITAIRE !!

HUM...

DANS... DANS MOINS D'UNE HEURE...

HEIN ? QUI EST-CE QUE C'EST ?

D'UN HOMME QUI AURAIT FAIT L'ARMÉE, UN PEU COMME UN OFFICIER.

D'APRÈS CETTE LECTURE MONOCORDE, L'IMAGE QUI NOUS VIENT À L'ESPRIT EST CELLE...

HUM...

DANS... DANS MOINS D'UNE HEURE, NOUS FERONS EXPLOSER... LE BAR DU QUARTIER "S"...

Clac

ENSUITE, VOICI CELLE ENREGISTRÉE LORS DE L'EXPLOSION DU BAR...

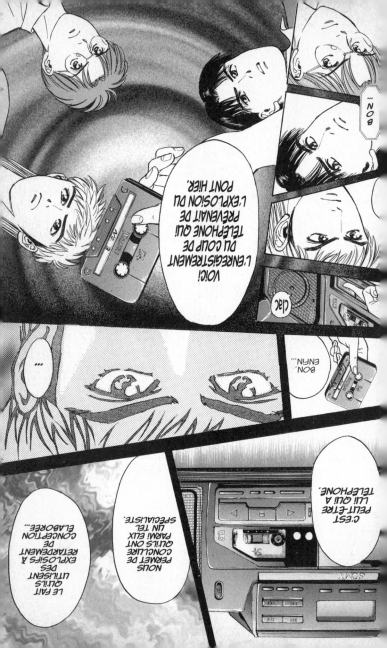

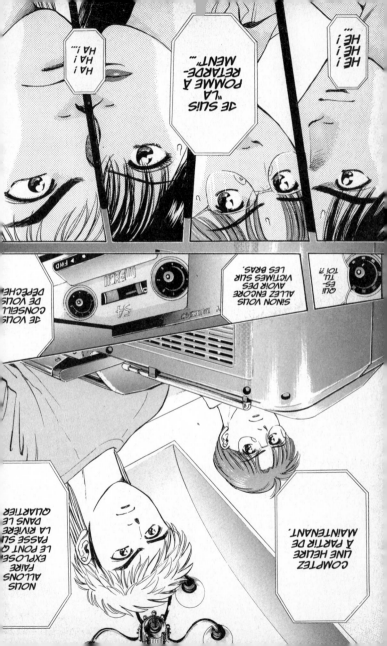

MOT DE PASSE CORRECT

CHARGEMENT EN COURS... · · · PATIENTEZ UN INSTANT

LE POMMIER

HEIN ?

ADRESSES ENREGISTRÉ (PLANS)
O KI
BATA
TANANOBU
OGATA MASA
KATAYAMA
YAYOI
SATO YU
SHIMA RYÔ
PAGE SUIVANTE

tac tac tac

UN MO MIROIR

QG DE "LA POMME À RETARDEMENT"

CA LUI RESSEMBLE BIEN !

Tap

IT'S COOL...*

*En anglais dans le texte. C'EST COOL.

L'INSPECTEUR RYOKO, EN SE BASANT SUR CETTE INFORMATION, MÈNE SON ENQUÊTE ET REMONTE JUSQU'À SIX SUSPECTS QUI SE TROUVENT ÊTRE SES ANCIENS CAMARADES D'UNIVERSITÉ !!!

EIJI A UNE VISION D'UNE PIÈCE COUVERTE DE MONTRES !!!

À PARTIR DE MORCEAUX DE VERRE LAISSÉS SUR LE LIEU DU VOL PAR UN GROUPE TERRORISTE QUI SE FAIT APPELER "LA POMME À RETARDEMENT" ET REVENDIQUE LES ATTENTATS...

ONT LIEU TROIS ATTENTATS.

APRÈS LE VOL DE 500 KG DE DYNAMITE DANS UN ENTREPÔT...

QUELLE EST LA VÉRITABLE IDENTITÉ DU LEADER DE CE GROUPE, LE MYSTÉRIEUX "APPLE" ...?!

LA POMME À RETARDEMENT 8

BON, À PLUS TARD.

OUI... OK, AKIRA.

IL VA ALLER AUJOURD'HUI CHEZ NISHIMAKI.

ENCORE SAWAKI ?

QUOI ...?

EH OUI...

C'EST LUI QUI PARAITRA LE MOINS SUSPECT.

...

ET TOI, LE MEURTRIER CONNAIT TA PSYCHO-MÉTRIE.

OUI. MOI, JE SUIS DE LA POLICE...

SI VRAIMENT IL Y A UN PAPILLON SEMBLABLE À CE DESSIN...

MOI, J'AI L'IMPRESSION QUE CETTE IMAGE QUE NOUS A LAISSÉE KIOMI...

JE VOIS... SI DANS LA CHAMBRE DE CE NISHIMAKI QUI TRAVAILLE DANS UN MUSÉE SE TROUVE UN PAPILLON QUI RESSEMBLE À CE DESSIN...

ON SAURA QUE C'EST LUI "APPLE"!!

JE NE SAIS PAS MAIS ÇA ME PARAITRA TROP FACILE...

PEUT ÊTRE DÉCISIVE POUR NOUS RÉVÉLER L'IDENTITÉ DU MEURTRIER, MAIS...

CE SERAIT AUSSI FACILE QUE ÇA ?

HEIN ?

tac

EH BIEN, EN FAIT, JE SUIS VENU PARCE QUE JE VOULAIS VOIR TA COLLECTION DE PAPILLONS.

!

QU'EST-CE QUI T'ARRIVE TOUT D'UN COUP ?

JE NE SAVAIS PAS QUE ÇA T'INTÉRESSAIT...

AH BON...

?

tac

ELLE EST DANS CETTE PIÈCE.

clac

JE T'EN PRIE.

¡INCROYABLE!?

WOUAH!!!

...

QUE LE PROFESSEUR WAKABAYASHI NOUS A QUITTÉS.

MAIS TU SAIS, JE N'ARRIVE TOUJOURS PAS À CROIRE...

tac
ti ti

VOILÀ.

J'AI PERDU MON VRAI PÈRE QUAND J'ÉTAIS PETIT...

C'EST PROBABLEMENT PARCE QU'IL ÉTAIT COMME UN PÈRE POUR TOI.

MERCI.

OUI...

ET MÊME APRÈS ÊTRE SORTI DE L'UNIVERSITÉ, RIEN N'A CHANGÉ.

ET LE PROFESSEUR WAKABAYASHI AVAIT COMPRIS TOUS MES TOURMENTS.

C'ÉTAIT VRAIMENT UN HOMME MYSTÉRIEUX.

ET LORSQU'IL L'A APPRIS, IL A TOUT DEVINÉ COMME PAR TÉLÉPATHIE ET EST VENU ME VOIR.

QUAND MA MÈRE EST MORTE À SON TOUR, J'AVAIS MÊME ENVISAGÉ LE SUICIDE.

...

UNIVERSITÉ DE TOKYO...
!?
CLASSE DE PSYCHOLOGIE DE L'UNIVERSITÉ DE TOKYO
MOIS DE MARS
À JÔJI NISHIMAKI
JÛZÔ WAKABAYASHI
NISHIMAKI?
!?
MAIS...
LE FRAGILE NISHIMAKI ...
SERAIT "APPLE" !?
BIEN ! ALLEZ ME CHERCHER CE GARÇON COMME TÉMOIN À CHARGE !!
OUI !
...

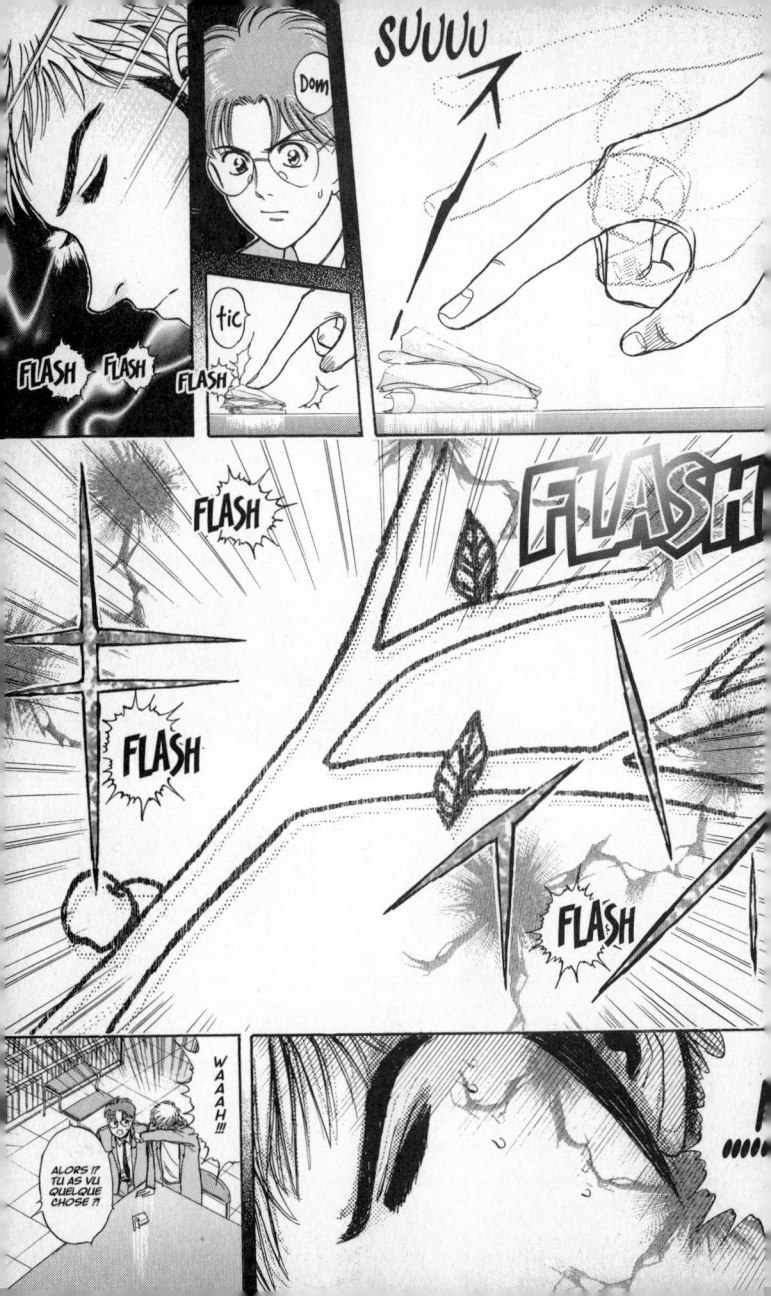

YÛSUKE !

DÉSOLÉE, JE T'AI FAIT ATTENDRE ?

ON POURRAIT DÉJÀ DÉCIDER DE L'ENDROIT OÙ ON VA ALLER APRÈS LE CINÉMA.

EUH... ON A ENCORE DU TEMPS AVANT LE DÉBUT DE LA SÉANCE, NON ?

EN RÉALITÉ IL ATTEND DEPUIS 30 MN.

tac

NON, JE VIENS JUSTE D'ARRIVER.

AH BON ? TANT

AH EM

PLAN DE YÛSUKE POUR SON RENCARD

BAISER.

SI ELLE N'A PAS FUI SON REGARD.

TOUS LES DEUX, LES YEUX DANS LES YEUX.

SI ELLE A FUI SON REGARD.

RENTRER.

S'ASSEOIR SUR UN BANC DANS L'OBSCURITÉ.

SI ELLE A ACCEPTÉ QU'IL PRENNE SA MAIN.

SI IL A ESSUYÉ UN REFUS.

RENTRER.

ENSUITE, BALADE DANS LE JARDIN PUBLIC PRÈS DU PORT EN SE TENANT LA MAIN.

DÎNER À LA NUIT TOMBANTE DANS UN RESTAURANT DE LA BAIE.

EIJI EST TOUT SEUL ET JE DOIS LUI PRÉPARER À MANGER.

HEIN MAIS M JE DO RENTR APRÈS CINÉM

MAIS... MAIS ALORS, J'AI PASSÉ LA NUIT À CHERCHER POUR RIEN... ?

DONG

ALORS, YÛSUKE ?

REGARDEZ ÇA !

...

clang

OUF ! JE SUIS ARRIVÉ À TEMPS !

cric

BANG

EH...

UN DÉPÔT DE MÉTAUX PRÉCIEUX ? JE VOIS...

ANKAIKAN BUI

J'AI LAISSÉ UN MESSAGE SUR SA BOÎTE VOCALE ET JE PENSE QU'ELLE VIENDRA DÈS QU'ELLE L'AURA ÉCOUTÉ...

TU VEUX DIRE QUE SHIMA NE VIENDRA PAS ?!

C'EST MOI QUI L'AI APPELÉ, JE N'AI PAS RÉUSSI À AVOIR SHIMA...

YÛSUKE QU'ES CE QU FAIT L LUI !

DANS CE CAS, IL EST PLUS PRUDENT DE L'ATTENDRE !

MOI, J'Y VAIS !

SI CE QUE DIT YÛSUKE E VRAI, IL ES POSSIBL QUE LES TERRORIST PROJETTE DE FAIRE EXPLOSER BÂTIMEN

2 QUESTIONS DE LA PART DES LECTEURS.

POURQUOI EIJI A-T-IL
LES FAVORIS NOIRS ?
ALLEZ SAVOIR POURQUOI,
CELA ME PRÉOCCUPE.

(AKITA / MONSIEUR K.J.)

EN GÉNÉRAL,
LES MANGAS
QUE J'AIME
SE FINISSENT
TROP
RAPIDEMENT.
ALORS
SI VOUS
POUVIEZ
FAIRE UNE
HISTOIRE
LONGUE...

(ÔITA / MONSIEUR M.Y.)

SI JE VEUX, JE PEUX LES COIFFER COMME ÇA.

OU ENCORE COMME ÇA ?

JE T'EN POSE DES QUESTIONS, MOI ?

...

HEIN ...?

LES BALLONS ONT DISPARU.

TIENS ?

DE PLUS, POURQUOI AVOIR FAIT EXPLOSER LE PARC D'ATTRACTIO[N] ET LE PON[T] AU-DESSU[S] DE LA RIVIÈRE...?

!!

C'EST CURIEUX, LORSQUE JE SUIS ARRIVÉE, IL Y AVAIT DES BALLONS PUBLICITAIRES SUR LE TOIT...

LA RIVIÈRE ...!?

CE DOIT ÊTRE QUEL-QUE PART DANS LE COIN...

BON, ALORS ...

Brouha Brouha

Z'h Brouha

Z'h Z'h

J'AI COMPRIS !!!

MAIS OLLI...

JE SAIS POURQUOI ILS ONT FAIT EXPLOSER LE PARC ET LE PONT !

POUR-QUOI DONC ?

OLLI, PROBA-BLEMENT, À PART LES TERRORIS-TES.

HEIN ?

DITES, SHIMA... TOUT LE MONDE A ÉTÉ ÉVACUÉ N'EST-CE PAS ?

ILS M'ONT DIT DE VOUS ATTENDRE ICI ET NE SONT PAS ENCORE REVENUS...

KODANKAIKAN BUILD

LES BUREAUX DE L'AGENCE NISEKO INVESTIGATION

!!

EIJI ET LES AUTRES SONT ENTRÉS DANS LE BÂTIMENT.

COM-MENT !?

VOUS CROYEZ QUE C'EST LE MOMENT !?

COMMIS-SAIRE HANE-YAMA ! JE DOIS VOUS PARLER !

TAP TAP !!

ILS NE SE SERAIENT QUAND MÊME PAS...!?

NON ! L'OBJECTIF DE CES TERRORISTES EST L'OR DE...

QU'EST-CE QUE VOUS ME RACONTEZ LÀ ?

!

C'EST ENCORE VOTRE HISTOIRE DE PROFILING ?

LA FERME ! JE N'AI RIEN À FAIRE DE VOTRE THÉORIE !

FAITES PÉNÉTRER LES FORCES DE POLICE À L'INTÉRIEUR !

LA BOMBE NE VA PAS EXPLOSER TOUT DE SUITE !

PÁN

!!

!?

SUU...

SUSPECTÉ
D'AVOIR
CAUSÉ LA
MORT DE
NOMBREUSES
PERSONNES
DANS DES
ATTENTATS
À LA
BOMBE...

...

AKIRA
SAWAKI !!

PSYCHOMETRER EIJI

DE
TUER
AKANE
TORII.

IL
AURAIT
DONNÉ
L'ORDRE
À
GREEN...

Crrrr

IL A EU LA
POSSIBILITÉ
DE VOLER
L'HORLOGE
DE
NISHIMAKI.

*LORSQU'IL EST
ALLÉ VOIR SES
PAPILLONS.*

OUI...

...

PFF...
ALORS
SAWAKI
A TOUT
AVOUÉ ?

Vrrr

Criiii

RELISEZ CE PASSAGE ! VOUS VERREZ QU'IL Y A UN INDICE !

IL SEMBLE LE
CONNAÎTRE
PARFAITEMENT,
BIEN SÛR, MAIS
AUSSI TOUTES
LES MÉTHODES
D'ENQUÊTE DE
LA POLICE...

*IL EST LOIN
D'ÊTRE IDIOT.*

LE
CODE
PÉNAL...

...

IL
MÈNE EN
BATEAU
L'INSPEC-
TEUR QUI
L'INTER-
ROGE.
IL EST
TRÈS
FORT À
CE JEU.

IL NE
FAIT AUCUN
DOUTE QUE
C'EST LUI
QUI L'A MIS
AU POINT
MAIS...

PO
L
PR
MI
ATT
TA

LUI...

EN Y
REPEN-
SANT
MAINTE-
NANT...

VRAI-
MENT
?

UN ÉLÈVE
MOYEN,
SANS
HISTOIRES,
D'APPARENCE
ORDINAIRE
ET
SÉRIEUX...

LUI QU
ÉTAIT
POURTA
UN
GARÇO
SI TRA
QU'IL
À LA
FACULT

ET SE
JUSTIFIER
EN DISANT
QUE ÇA
LUI AVAIT
ÉCHAPPÉ... IL
ÉTAIT ALLÉ
UN PEU
LOIN...

DIRE
DEVANT
TOUS LES
SUSPECTS
RASSEM-
BLÉS
QUE
J'ÉTAIS UN
PSYCHO-
MÈTRE...

J'AI
ENCORE
DU MAL À
CROIRE QUE
TOUT ÇA
N'ÉTAIT
QU'UNE
COMÉDIE.

OUI...

TU AS VU UNE IMAGE DE MOI À L'UNIVERSITÉ EN LUI SERRANT LA MAIN.

LORSQU'IL A COMPRIS QUE TU ÉTAIS UN PSYCHO-MÈTRE À L'ENTERREMENT DU PROFESSEUR WAKA-BAYASHI...

SANS ÊTRE SOUPÇONNÉ !!!

TOUT ÇA DANS LE BUT D'ÉLIMINER LE GÊNEUR QUE J'ÉTAIS...

PARCE QUE LORSQU'IL T'A SOUDAINEMENT PRISE DANS SES BRAS...

EN TOUT CAS, ON PEUT DIRE QUE C'EST UN BEAU PARLEUR AVEC LES FEMMES.

...

IL AVAIT COMPRIS COMMENT TU FONCTION-NAIS...

JE ME DIS PAS QUE TU ME DRAGUAIS ?! C'EST BIZARRE, ÇA !!

MAIS NON... J'ÉTAIS LÀ PAR HASARD...

COMMENT SAIS-TU CELA ?!

A... AKIRA...

EN FAISANT SEM-BLANT D'AVOIR TROP BU...

ET C'ÉTAIT ENCORE UN FAUX SENTI-MENT.

L'INSPECTRICE RYÔKO SHIMA A ÉTÉ MANIPULÉE PAR LA BRILLANTE PSYCHOLOGIE DU CRIMINEL...

MAIS BON, D'APRÈS MON PROFILING...

DIS, SHIM...

QUEL GENRE DE GOSSE C'ÉTAIT, HITLER ?

...?

AH...

QUAND IL M'A FRAPPÉ AVEC SON PISTO-LET...

J'AI REÇU DES IMAGES DE SON ENFANCE...

BEN...

JE ME DEMANDAIS SI C'ÉTAIT PAREIL POUR SAWAKI...

POUR-QUOI ?

UN CON-TEXTE FAMILIAL...

...?

JE NE SAIS PAS EXACTEME... MAIS JE PE... TE DIRE QU... VIVAIT DAN... UN CONTE... FAMILIAL COMPLEXE

AKIRA...TU SAIS, PAPA A PRÉFÉRÉ SON TRAVAIL À NOUS...

MAMAN...? POURQUOI JE N'AI PAS DE PAPA !?

"MERCI, PAPA".

BRAVO ! T... RÉSOUS D... PROBLÈMES... MATH DE NIVE... LYCÉE ALO... QUE TU... N'ES QU'E... PRIMAIRE

SAWAKI AKIRA

AKIRA, TU ES UN GÉNIE !!!

LE PROFESSEUR AVAIT UNE LOURDE DETTE ENVERS TOI.

BIEN QU'IL CONNAISSAIT TES PLANS.

À PARTIR DE CELA, ON COMPREND POURQUOI IL NE T'A PAS DÉNONCÉ À LA POLICE...

CELLE D'AVOIR ABANDONNÉ SON FILS TRÈS JEUNE ET D'EN AVOIR FAIT UN TUEUR CRUEL !

UNE DETTE IRRÉCOU-VRABLE !

CETTE MONTRE QUI ÉGRENAIT LE TEMPS À RECU-LONS.

IL EST POSSIBLE QUE CETTE MONTRE N'AIT ÉTÉ DESTINÉE QU'À TOI...

...

tac...

コツ

BON, C'EST UNE HISTOIRE DONT ON SE FICHE UN PEU MAIS...

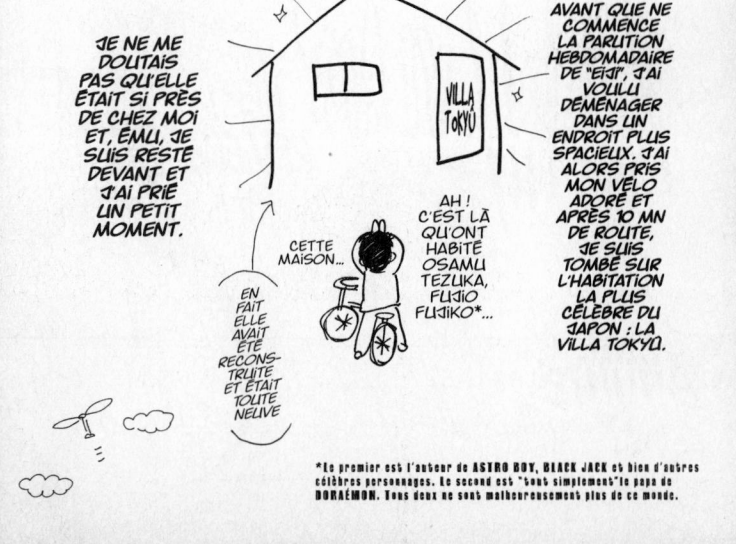

JE NE ME DOUTAIS PAS QU'ELLE ÉTAIT SI PRÈS DE CHEZ MOI ET, ÉMU, JE SUIS RESTÉ DEVANT ET J'AI PRIÉ UN PETIT MOMENT.

AVANT QUE NE COMMENCE LA PARUTION HEBDOMADAIRE DE "EIJI", J'AI VOULU DÉMÉNAGER DANS UN ENDROIT PLUS SPACIEUX. J'AI ALORS PRIS MON VÉLO ADORÉ ET APRÈS 10 MN DE ROUTE, JE SUIS TOMBÉ SUR L'HABITATION LA PLUS CÉLÈBRE DU JAPON : LA VILLA TOKYÛ.

CETTE MAISON...

AH ! C'EST LÀ QU'ONT HABITÉ OSAMU TEZUKA, FUJIO FUJIKO*...

EN FAIT ELLE AVAIT ÉTÉ RECONSTRUITE ET ÉTAIT TOUTE NEUVE

VILLA TOKYÛ

*Le premier est l'auteur de ASTRO BOY, BLACK JACK et bien d'autres célèbres personnages. Le second est "tout simplement"le papa de DORAEMON. Tous deux ne sont malheureusement plus de ce monde.

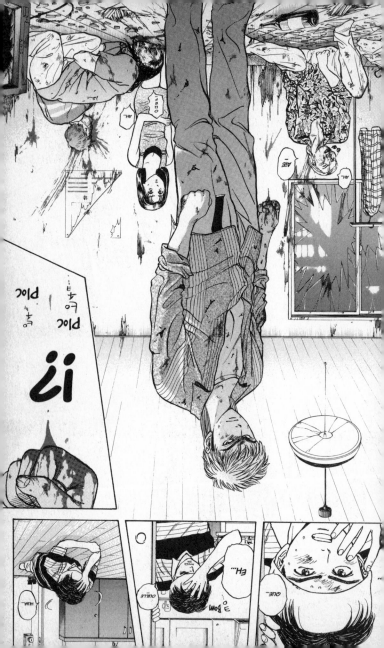

CADEAU SPÉCIAL DE FIN DE VOLUME
QUIZZ PSYCHOMÉTRIQUE SUR LE CHAPITRE
"MŒBIUS"
NOUVELLES DISPOSITIONS ET MESURES

GRÂCE À TOUTES LES ENQUÊTES QUE VOUS AVEZ PU LIRE, PROFITEZ-EN POUR AUGMENTER VOS FACULTÉS ET VEILLEZ À VOUS EN SERVIR POUR LA RÉSOLUTION DE LA PROCHAINE ENQUÊTE.

NOUS ALLONS VOUS PRÉSENTER QUELQUES RÉPONSES CHOISIES PARMI TOUTES CELLES QUE NOUS AVONS REÇUES POUR LE "QUIZZ DU TUEUR EN SÉRIE SUR TROIS SEMAINES".

EN FAIT, SOUVENEZ-VOUS QUE NOUS AVIONS LANCÉ UN CONCOURS DANS LES CHAPITRES 1 À 3 DE "MŒBIUS, LE TUEUR DÉMONIA-QUE".

QUIZZ PSYCHOMÉTRIQUE

QUESTION 1

QUESTION 2

N° DU CADEAU QUE VOUS SOUHAITEZ

NOM

NIVEAU SCOLAIRE

ADRESSE

TÉLÉPHONE

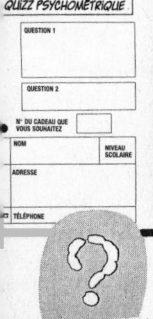

EIJI ASUMA EST UN JEUNE GARÇON QUI A UN POUVOIR DE PSYCHOMÉTRIE : EN TOUCHANT UN OBJET OU UNE PERSONNE, IL PEUT EN ABSORBER LA MÉMOIRE. IL A EU UNE VISION À PARTIR D'UN ANNEAU DE MŒBIUS, CELLE D'UNE FIGURE GÉOMÉTRIQUE. QUEL EST LE RAPPORT ENTRE CETTE FIGURE ET LE TUEUR EN SÉRIE SURNOMMÉ MŒBIUS...?!

★ PROBLÈME

1/ CETTE FIGURE EST UN INDICE PRÉCIEUX POUR DÉCOUVRIR L'IDENTITÉ DE MŒBIUS. QUE REPRÉSENTE CE DESSIN ?
(EXEMPLE : CE DESSIN EST LE FLOCON DE NEIGE. LE MEURTRIER EST UN FOU DE SKI !)

VOICI LE DESSIN EN QUESTION.

2/ QUI EST LE MYSTÉRIEUX MŒBIUS ?

TOI QUI VEUX PERCER LE SECRET DE CETTE FIGURE AVEC TA CAPACITÉ D'OBSERVATION, ESSAYE UN PEU LA PSYCHOMÉTRIE ! TOI QUI VEUX PERCER LE SECRET DE CETTE FIGURE AVEC TES FINES DÉDUCTIONS, LIS CE MANGA DANS LES MOINDRES DÉTAILS ENCORE ET ENCORE ET MONTRE CE QUE TU SAIS FAIRE !

NOUVELLE SÉRIE !! NOUVEAU PROJET DE PUBLI-CATION SUR TROIS SEMAINES !!!

QUIZZ PSYCHO-MÉTRIQUE

VOUS POURREZ GAGNER DE TRÈS BEAUX CADEAUX !!

★

TIRÉ DU MAGAZINE HEBDOMADAIRE "SHÔNEN MAGAZINE"

VOICI LES LETTRES REÇUES LA PREMIÈRE SEMAINE.

(BIEN ENTENDU, IL ÉTAIT TRÈS DIFFICILE DE TROUVER LA BONNE RÉPONSE DU PREMIER COUP)

LA RÉPONSE LA PLUS SOUVENT ENVOYÉE = SHÔKICHI

QUIZZ PSYCHOMÉTRIQUE

QUESTION 1

UNE FIGURE SANS SÉPARATION ENTRE ENVERS ET ENDROIT. NOM DE LA FIGURE : "FIGURE SANS SÉPARATION ENTRE ENVERS ET ENDROIT".

QUESTION 2

SHÔKICHI

MERCI POUR CE DIFFICILE PROBLÈME

(R.A. HOKKAIDÔ)

QUIZZ PSYCHOMÉTRIQUE

QUESTION 1

UN PANIER DE BASKET VU DE DESSOUS.

QUESTION 2

SHÔKICHI

J'AI TROUVÉ LE NOM DU MEURTRIER APRÈS CINQ HEURES DE PSYCHOMÉTRIE. PS: J'ÉTAIS GRIPPÉ ET DONC PAS TRÈS EN FORME MAIS J'AI FAIT DE MON MIEUX.

(D.A. SAITAMA DPT)

QUIZZ PSYCHOMÉTRIQUE

QUESTION 1

LA FIGURE EST UN BALLON DE BASKET. LE COUPABLE EST CELUI QUI A REÇU LE BALLON.

QUESTION 2

TÔRU EGAWA

L'AMIE DE LA SŒUR DE EIJI (CELLE QUI SE FAIT TUER À LA FIN), LORSQU'ELLE MARCHE DANS LA RUE, SE MET À PARLER TOUTE SEULE. DANS CES CAS-LÀ, ON SAIT QUE C'EST LA PROCHAINE VICTIME ET ON A ENVIE DE CRIER : "ARRÊTE ! NE DIS PLUS UN MOT, TU VAS TE FAIRE TUER !" ET COMME JE LE PENSAIS, ELLE EST MORTE.

RATÉ ! •••

QUIZZ PSYCHOMÉTRIQUE

QUESTION 1

LE MAGAZINE ACTION DELUXE DE SHÔKICHI

QUESTION 2

SHÔKICHI

POUR MOI, RIEN N'EST IMPOSSIBLE

(T.O. SAITAMA DPT)

PUIS CELLES DE LA DEUXIEME SEMAINE !

CETTE FOIS, LES RÉPONSES ONT ÉTÉ PLUS VARIÉES.

PARCE QU'IL Y AVAIT PLEIN DE PIÈGES.

QUIZZ PSYCHOMÉTRIQUE

QUESTION 1

CA RESSEMBLE À UN BADGE DE POLICE. LE COUPABLE EST UN POLICIER.

QUESTION 2

AKASAKA

(K.Y. HOKKAIDO)

VOILÀ UN LECTEUR QUI EST TOMBÉ DANS LE PANNEAU !

QUIZZ PSYCHOMÉTRIQUE

QUESTION 1

UN MOTIF DE CRAVATE

QUESTION 2

AKASAKA, LE FLIC.

C'EST LA PREMIÈRE FOIS QUE JE TROUVE LA RÉPONSE À UNE ÉNIGME POLICIÈRE. JE ME DOUTAIS BIEN QUE LE COUPABLE SE TROUVAIT PARMI LES POLICIERS, CE N'ÉTAIT PAS TRÈS DUR.

(J.K. TOTTORI DPT)

QUIZZ PSYCHOMÉTRIQUE

QUESTION 1

CA A LA FORME D'UN GROS DIAMANT AVEC DES AXES TRIANGULAIRES. C'EST UN POINT IMPORTANT.

QUESTION 2

LE PROPRIÉTAIRE D'UNE JOAILLERIE.

(Y.K. NAGANO DPT)

QUIZZ PSYCHOMÉTRIQUE

QUESTION 1

LE TUEUR EST UN FOU DE SKI.

QUESTION 2

SHÔKICHI

(E.T. ? DPT)

DITES-MOI, N'EST-CE PAS EXACTEMENT L'EXEMPLE QUE NOUS AVIONS DONNÉ !?

ENFIN, CELLES DE LA TROISIÈME SEMAINE !!

ON POUVAIT S'Y ATTENDRE, À LA 3e SEMAINE, LES BONNES RÉPONSES ONT COMMENCÉ À ARRIVER !!

NOUS NE PRÉSENTONS ICI QUE LES MAUVAISES RÉPONSES.

QUIZZ PSYCHOMÉTRIQUE

QUESTION 1

UNE FIGURE QUI APPARAÎT EN COURS DE MATHÉMATIQUES

QUESTION 2

YOKOYAMA !

(M.M. IBARAKI DPT)

QUIZZ PSYCHOMÉTRIQUE

QUESTION 1

C'EST UN BADGE SCOLAIRE. LE MEURTRIER EST UN PROFESSEUR.

QUESTION 2

LE PROFESSEUR ENDÔ.

(K.I. AKITA DPT)

LES DEUX RÉPONSES CI-DESSUS N'ÉTAIENT PAS LOIN DE LA SOLUTION...

NOUS AVONS AUSSI REÇU BEAUCOUP DE RÉPONSES DISANT QUE LE MEURTRIER ÉTAIT LE COMMISSAIRE HANEYAMA.

"ON N'A PAS COMPRIS !!" SPÉCIAL HORS SUJET.

POUR TROUVER LA BONNE RÉPONSE, IL FALLAIT BIEN SÛR LIRE ATTENTIVEMENT ET RÉFLÉCHIR. LA PROCHAINE FOIS, RASSEMBLEZ VOS INFORMATIONS ET FAITES UNE SOLIDE THÉORIE AVEC CELA ! AINSI VOUS DEVRIEZ TROUVER LE COUPABLE ! ... VOUS DEVRIEZ.

"SHÔGO" !? MAIS QUI C'EST ?!

QUIZZ PSYCHOMÉTRIQUE

QUESTION 1

UNE FIGURE DE MAGIE. UN TRUC POUR FAIRE DES PRÉDICTIONS... COMME UNE CARTE À JOUER.

QUESTION 2

SHÔGO

(Y.Y. WAKAYAMA DPT)

couvrir sans attendre!

PIRIT

de Li Chi Tak

puis que leur grand-père est trop âgé, **Cho** et
sont chargés de rendre visite a leur grand-
mé le **Spirit**. Victime d'une malédiction, celui-
tue, incrusté dans le flanc de la montagne.
ents séduisants dans "Spirit" que vouloir
peine perdue. La poésie, le fantastique, la
isme... Lire "Spirit", c'est accepter qu'un
t et enivrant souffle entre vos oreilles.
sez-vous porter par la magie...

Li Chi Tak

SPIRIT

Le Dieu Rocher

Format 16,5 x 23,5 cm
: FB 584 – FF 95 – FS 28,30
e dans la collection Dargaud - Kana

Vous aimez "Psychometrer Eiji"?

Ces pages sont les vôtres.

Vous voulez en parler?

Ces pages sont encore les vôtres.

Vous avez réalisé des dessins et vous

voudriez les partager avec d'autres?

Ces pages sont toujours les vôtres.

Comme dans tous les autres mangas de la

collection Kana, les lecteurs ont la parole.

Nous attendons vos lettres

et vos dessins avec impatience!

Une seule adresse :

KANA, 15/27 rue Moussorgski

75018 Paris

EIJI

© DARGAUD BENELUX (DARGAUD-LOMBARD s.a.) 2001
7, avenue P-H Spaak - 1060 Bruxelles

© 1996 Masashi Asaki & Yuma Ando
First published in Japan in 1996 by Kodansha Ltd., Tokyo
French publication rights arranged through Kodansha Ltd.

Tous droits de traduction, de reproduction et d'adaptation strictement réservés
pour la France, la Belgique, la Suisse, le Luxembourg et le Québec.

Dépôt légal d/2001/0086/245
ISBN 2-87129-364-3

Conception graphique : Les Travaux d'Hercule
Traduit et adapté en français par Thibaud Desbief
Lettrage : Eric Montesinos

Imprimé en Italie par G. Canale & C. S.p.A. - Borgaro T.se (Torino)